W9-CQA-462

Auschwitz
expliqué à ma fille

DANS LA MÊME COLLECTION

Tahar Ben Jelloun
Le Racisme expliqué à ma fille
1998

Régis Debray
La République expliquée à ma fille
1998

Max Gallo
L'Amour de la France expliqué à mon fils
1999

Sami Naïr
L'Immigration expliquée à ma fille
1999

Jacques Duquesne
Dieu expliqué à mes petits-enfants
1999

Jean Ziegler
La Faim dans le monde expliquée à mon fils
1999

A paraître

Lucie Aubrac
La Résistance expliquée à mes petits-enfants

Nicole Bacharan et Dominique Simonnet
L'Amour expliqué à nos enfants

Annette Wieviorka

Auschwitz
expliqué
à ma fille

Éditions du Seuil

ISBN 2-02-036699-1

© ÉDITIONS DU SEUIL, SEPTEMBRE 1999

Le Code de la propriété intellectuelle interdit les copies ou reproductions destinées à une utilisation collective. Toute représentation ou reproduction intégrale ou partielle faite par quelque procédé que ce soit, sans le consentement de l'auteur ou de ses ayants cause, est illicite et constitue une contre-façon sanctionnée par les articles L. 335-2 et suivants du Code de la propriété intellectuelle.

A ma fille, Mathilde
A mes nièces, Sophie, Ève, Elsa et Nadia.

L'été dernier, lors de nos vacances, nous avons rencontré sur la plage une de mes amies, Berthe. Dix ans auparavant, j'avais recueilli son témoignage sur sa déportation au camp d'Auschwitz-Birkenau. Depuis, nous étions liées. Il n'y avait guère de semaine sans que nous ne nous entretenions, au moins par téléphone, sur les diverses manifestations dans l'actualité qui touchaient au génocide des Juifs : le procès de Maurice Papon, le film de Roberto Benigni, *La vie est belle…* Ma fille, Mathilde, qui avait alors treize ans, connaissait Berthe, n'ignorait pas qu'elle avait été à Auschwitz. Souvent, quand j'étais absente, elle parlait avec elle au téléphone. Pourtant, cet été-là, elle eut un choc en voyant un numéro sur l'avant-bras gauche de Berthe, tatoué d'une encre bleue un peu délavée. Brutalement, tout ce qui circulait à la maison, à la télévision, dans les films ou à l'école s'incarnait, devenait en quelque sorte réel.

Mathilde, à l'école, en CM 1, il y a quelques années, a dû faire son arbre généalogique. Elle avait connu ses quatre grands-parents. En revanche, dans la génération de ses arrière-grands-parents, il devenait difficile de préciser la date exacte et le lieu de leurs décès. Du côté de son père Rywka Raczymow, de mon côté Roza et Wolf Wieviorka étaient morts à Auschwitz. Chawa Perelman, son arrière-grand-mère maternelle, avait été tuée par les Allemands du côté de Chalon-sur-Saône, après la grande rafle du Vél' d'Hiv' du 16 juillet 1942, en tentant de passer la ligne de démarcation qui séparait alors la zone occupée de la zone libre. Il y avait aussi des oncles et des tantes assassinés. Mais ils ne figuraient pas sur l'arbre généalogique. Son père et moi avions hérité chacun du prénom de l'un de ces morts à Auschwitz. Est-ce l'emprise de cet héritage ? Lui comme écrivain, moi comme historienne, nous avions indirectement subi cette histoire que nous avions tenté de maîtriser en y consacrant une partie de notre travail. A treize ans, Mathilde ne pouvait l'ignorer. Nous en parlions trop souvent entre nous et avec nos amis. A la maison, les livres et les revues sont nombreux qui évoquent ces choses-là. Elle m'avait aussi entendue en parler à la radio et à la télévision. Pourtant, elle n'avait jamais posé réellement de questions. Je n'avais jamais eu à « expliquer ».

Ce qui m'a frappée, quand j'ai tenté de répondre à Mathilde pour lui expliquer ce qu'était Auschwitz, c'est que ses questions étaient les mêmes que celles que je me posais moi-même indéfiniment, ou qui traversent depuis plus d'un demi-siècle la réflexion des historiens et des philosophes et auxquelles il est si difficile de répondre. Simplement, elles étaient exprimées de façon plus crue, plus directe. Car s'il m'est facile comme historienne de décrire Auschwitz, d'expliquer comment s'est déroulé le génocide des Juifs, il reste un noyau proprement incompréhensible, donc inexplicable : pourquoi les nazis ont-ils voulu supprimer les Juifs de la planète ?

Pourquoi ont-il dépensé tant d'énergie à aller chercher aux quatre coins de l'Europe qu'ils occupaient,
d'Amsterdam à Bordeaux, de Varsovie à Salonique,
des enfants et des vieillards, simplement pour les
assassiner ?

– *Pourquoi ce numéro tatoué sur le bras de Berthe ?*

– Berthe a été, comme on le dit, déportée. Déportée, cela signifie au sens propre du mot qu'elle a été transportée contre son gré du pays où elle vivait, la France, dans un autre pays, la Pologne. Quand on parle de déportés pour la période de la Seconde Guerre mondiale, cela signifie que le transport aboutit dans un camp de concentration.

– *Pourquoi dis-tu qu'on l'a transportée en Pologne ?*

– Parce que le camp d'Auschwitz, qui a été sa destination, était en terre polonaise.

– *Quelle est exactement l'histoire de Berthe ? C'est curieux, je la connais pratiquement depuis toujours, et je ne sais en vérité rien d'elle.*

– Berthe a été arrêtée à Paris. C'était le 16 juillet 1942. Ce jour-là, la police française a arrêté, sur l'ordre des Allemands, près de 13 000 Juifs. Les familles avec leurs enfants ont été parquées dans un grand stade, où se déroulaient dans le temps des courses de vélo et des meetings politiques, et qui s'appelait le Vélodrome d'Hiver. C'est pourquoi on appelle cette arrestation de masse la rafle du Vél' d'Hiv'.

– *C'est quoi, une rafle ?*
– C'est une arrestation en masse que la police opère à l'improviste. Aujourd'hui, les bâtiments du Vélodrome d'Hiver ont été démolis, mais chaque année, sur son emplacement, se déroule une cérémonie du souvenir. Berthe avait dix-neuf ans ; elle était célibataire. Elle n'a pas été conduite au Vélodrome d'Hiver, mais, en autobus, comme les autres célibataires et les couples sans enfants, dans un camp tout près de Paris, à Drancy.

– *Drancy, c'était un camp de concentration ?*
– Oui, si l'on considère qu'un camp de concentration est un lieu où l'on concentre des personnes privées de leur liberté. Mais Drancy ne ressemblait pas aux camps nazis. A l'époque où Berthe y arrive, c'est un camp de transit : on y reste peu de temps, avant d'être déporté. Berthe n'y a passé qu'une quinzaine de jours. Puis elle a été conduite, de nouveau en autobus, de ce camp vers une petite gare, celle de Bobigny. Avec quelque mille autres personnes, on l'a fait monter dans un wagon de marchandises. Le trajet a duré trois jours et trois nuits. Des journées atroces. C'était l'été, il faisait une chaleur insupportable dans ce wagon où hommes, femmes et enfants étaient entassés, sans rien à manger ni surtout à boire. La soif peut rendre fou. Certains le sont devenus. Puis ils sont arrivés dans la petite gare d'un lieu dont pratiquement personne ne connaissait alors le nom. C'était, en polonais, Oswiecim, et en allemand Auschwitz.

– *Pourquoi deux noms pour un même endroit ?*

– Dans cette sorte de bout du monde, au sud de la Pologne, se trouve la province de Haute-Silésie que l'Allemagne nazie avait annexée en 1939. Elle a donc donné aux lieux des noms allemands.

Quand les portes du train se sont ouvertes – tu as vu cela reconstitué dans beaucoup de films –, Berthe a entendu des hurlements en allemand, des aboiements de chiens. Comme elle avait vécu en Allemagne, pays qu'elle avait quitté à dix ans, en 1933, après qu'Adolf Hitler eut pris le pouvoir, elle comprenait le sens de ces cris : il fallait qu'ils se dépêchent, qu'ils abandonnent leurs valises et leurs paquets sur le quai où s'agitaient des hommes d'une maigreur invraisemblable, aux crânes rasés et habillés de vêtements rayés, des sortes de pyjamas. Les Allemands ont alors annoncé que ceux qui étaient fatigués pouvaient se rendre au camp en camion, et ils ont séparé ceux qui arrivaient en deux groupes. Les fatigués, les personnes âgées, les enfants, les femmes manifestement enceintes sont montés dans les camions. Les autres, parmi eux Berthe, sont partis à pied. Ensuite, les hommes et les femmes ont été à leur tour séparés. Chacun dans son camp. Pour Berthe, ce fut le camp de femmes de Birkenau, à trois kilomètres du camp principal d'Auschwitz, dont il dépendait.

– *Que leur arrivait-il alors ?*

– Les femmes ont été obligées de se déshabiller. A cette époque, on était beaucoup plus pudique qu'aujourd'hui et on ne se mettait jamais nu devant les autres. Ce fut pour beaucoup une première humiliation. Puis on les fouilla, jusqu'aux orifices les plus intimes. On les fit passer à la douche, on les rasa :

tête, aisselles, pubis. On leur donna des vêtements.
Pas des pyjamas ou des robes rayés, comme on le
voit sur les photos, dans les films ou dans les
musées, mais n'importe quoi, de vraies loques, parfois d'une saleté repoussante ; en fait, les vêtements
récupérés dans les bagages des déportées précé-
dentes qui n'étaient pas d'assez bonne qualité pour
être conservés par les Allemands, ou qui avaient déjà
été portés par d'autres détenues. Et puis – c'est ce
que tu as vu sur l'avant-bras de Berthe –, on grava
dans leur chair, avec une sorte de stylo en métal et
de l'encre bleue, un numéro indélébile.

    – *C'était douloureux ?*
    – A ce que beaucoup d'entre eux m'ont dit, cela
ne leur a pas fait très mal. Mais cela a contribué à les
dépouiller de la dernière chose qui leur restait, leur
nom. Désormais, ils n'étaient plus appelés que par
un numéro inscrit à jamais. Ce numéro, ils devaient
aussi le dire en allemand lors des appels qui rassemblaient tous les détenus matin et soir sur la place du
camp et qui duraient parfois des heures. Ils ne pos-
sédaient plus rien de leur vie d'avant, plus un objet,
plus une photo, plus un vêtement. « Plus rien ne nous
appartient », écrit Primo Levi dans son récit, *Si c'est
un homme*, publié dès la sortie du camp, et que tu
pourrais lire : « ils nous ont pris nos vêtements, nos
chaussures et même nos cheveux. [...] Ils nous enlè-
veront jusqu'à notre nom ; si nous voulons le conserver, nous devrons trouver en nous la force nécessaire
pour que, derrière ce nom, quelque chose de nous,
de ce que nous étions, subsiste ». Ils étaient entrés
dans un autre monde. C'est ce que beaucoup de survivants expriment dans leurs témoignages. Mais
c'est probablement Primo Levi qui le dit le mieux :

« Qu'on imagine maintenant un homme privé non seulement des êtres qu'il aime, mais de sa maison, de ses habitudes, de ses vêtements, de tout enfin, littéralement tout ce qu'il possède : ce sera un homme vide, réduit à la souffrance et au besoin, dénué de tout discernement, oublieux de toute dignité : car il n'est pas rare, quand on a tout perdu, de se perdre soi-même ; ce sera un homme dont on pourra décider de la vie ou de la mort le cœur léger, sans aucune considération d'ordre humain, si ce n'est tout au plus un critère d'utilité. »

— *Je ne savais pas que Berthe était allemande et qu'elle avait dû quitter son pays en 1933, quand Hitler est arrivé au pouvoir.*

— Berthe était effectivement allemande. Sa famille vivait exactement comme les autres familles allemandes de la même classe sociale. Son père était médecin. Il travaillait dans un hôpital, entouré de collègues. Dès que Hitler et son parti, le parti nazi, sont arrivés au pouvoir, ils ont traduit en actes la haine qu'ils vouaient aux Juifs. L'objectif de Hitler a d'abord été de les séparer des autres Allemands, de couper un à un les fils qui les reliaient à la société et à l'économie du pays. Ceux qui se voyaient désormais désignés comme juifs ne pouvaient plus garder leur travail, ils n'avaient pas le droit d'aller à la piscine, au théâtre ou au concert… Leurs enfants devaient aller dans des écoles séparées. Ce n'était pas si facile que ça. Parmi les quelque 500 000 Juifs qui vivaient en Allemagne, seule une minorité d'entre eux était très pieuse. Pour ces derniers, être juif se marquait dans leur façon de vivre. Certains étaient engagés dans une vie politique juive ; ils pouvaient être par exemple sionistes, c'est-à-dire qu'ils souhaitaient que les Juifs aient leur propre État, sur la terre de Palestine. Cet État, Israël, a été créé après la guerre, en 1948. Mais d'autres, la majorité, étaient complètement assimilés. Pour eux, être juif ne signifiait plus rien. Ils ne pratiquaient plus la religion, n'étaient membres d'aucune association juive, ne savaient plus rien du judaïsme. Certains Juifs allemands, ou leurs parents ou leurs grands-parents, s'étaient même convertis au catholicisme ou au protestantisme. Beaucoup avaient épousé des non-Juifs.

– *Ceux-là n'étaient plus juifs, donc ils ne risquaient rien...*

– Pour Hitler, être juif, c'était appartenir à une « race ». Si tes grands-parents étaient juifs, alors tu l'étais, que tu le veuilles ou non, même si tu étais devenue catholique. Et dans sa vision du monde, cette « race » devait disparaître de la grande Allemagne qu'il rêvait de construire, en intégrant dans son Empire, par la guerre s'il le fallait, tous les pays de langue allemande, comme l'Autriche par exemple, et en soumettant les peuples slaves, comme les Russes, les Ukrainiens ou les Polonais. Il disait que l'Allemagne devait être *Judenfrei*, débarrassée des Juifs, ou *Judenrein*, nettoyée des Juifs. Alors, la « race aryenne » pourrait installer sa puissance pour mille ans et régénérer le monde.

– *Les Juifs pouvaient quitter l'Allemagne, s'enfuir.*

– Des Juifs allemands, privés de leurs moyens d'existence, victimes de violences, ont émigré. C'est le cas des parents de Berthe, qui sont venus en France, ou de la famille d'Anne Frank, dont tu as lu le *Journal*, partie pour Amsterdam. Puis, en 1939, il y a eu la guerre, et l'occupation d'une grande partie de l'Europe. Les nazis les avaient rattrapés.

– *Tu dis que certains Juifs étaient assimilés, que rien ne les distinguait des autres Allemands.*
– Tu as raison. Il est impossible de savoir qui est juif. Jusqu'à la Révolution française, les choses étaient relativement simples. Être juif relevait de la Tradition, une tradition religieuse qui structurait tous les aspects de la vie sociale : le calendrier, la justice, les mariages, la naissance… Les Juifs constituaient alors une « nation », vivant à l'écart des autres. Puis ils ont été, comme on le dit, « émancipés », c'est-à-dire qu'ils sont devenus des citoyens comme les autres. Si certains ont conservé leurs pratiques religieuses, d'autres ont souhaité se fondre dans la population des pays où ils vivaient. Rien alors ne les distinguait plus en principe des autres Allemands ou des autres Français. Dans ta classe, par exemple, tu ne sais pas qui est juif, sauf bien sûr si tes camarades te le disent ou s'ils portent une étoile de David, une kippa, ou s'ils ne viennent pas à l'école le samedi parce qu'ils respectent le repos obligatoire du shabbat.

– *Alors, comment les Allemands ont-ils fait pour savoir qu'ils étaient juifs ?*
– Pour savoir qui était juif, il a donc fallu que l'administration allemande définisse d'abord qui elle considérait comme juif. Ce qui n'a pas été simple, parce qu'il y avait en Allemagne de nombreux mariages mixtes. Ensuite, tous les Allemands ont dû prouver, en établissant notamment leur arbre généalogique, parfois en remontant jusqu'au XVIIe siècle, qu'ils n'avaient pas d'ancêtres juifs,

c'est-à-dire d'ancêtres qui appartenaient à la religion juive, qui n'avaient été baptisés ni dans la religion protestante ni dans la religion catholique. Dans chaque pays que l'Allemagne occupa – l'Autriche d'abord, après mars 1938, puis la Tchécoslovaquie, la Pologne, la France… –, les nazis ordonnèrent que les Juifs soient recensés. En France, par exemple, deux mois après leur entrée dans Paris, le 27 septembre 1940, ils ordonnèrent un recensement. Tous les Juifs qui vivaient dans la zone occupée devaient se présenter au commissariat de police de leur quartier pour ceux de Paris, ou à la préfecture pour la province. Pratiquement tous se présentèrent.

– *Pourquoi ?*
– Aujourd'hui, on a du mal à comprendre. Mais il était normal d'aller se faire recenser puisque c'était la loi, et personne n'aurait osé imaginer ce qui allait se passer. La France est, comme on dit, un État de droit, c'est-à-dire un pays qui a des lois que tous doivent respecter. C'est l'administration française qui a été chargée du recensement. Quand ils étaient français, les Juifs étaient des citoyens comme les autres ; quand ils étaient étrangers, ils bénéficiaient aussi de la protection du pays d'accueil. De plus, pour certains, pour qui être juif ne représentait plus rien, aller se faire recenser était une question de dignité. Ainsi Bergson, un grand philosophe très célèbre, le premier Juif élu à l'Académie française et qui avait reçu le prix Nobel en 1927, qui dans son cœur était catholique mais sans être allé jusqu'à se convertir, a tenu, par solidarité et dignité, à se rendre au commissariat de police de son quartier. Il avait alors quatre-vingts ans et était très malade. Il est mort l'année suivante.

– Une fois recensés, que se passait-il ?

– Dans le département de la Seine, qui englobait alors Paris et des communes de banlieue, 149 734 personnes (85 664 Français et 64 070 étrangers) ont été recensées. A partir des formulaires qu'elles ont remplis, la Préfecture de police, sur ordre des Allemands, a constitué quatre fichiers classés par ordre alphabétique, profession, adresse et nationalité. On ne le savait pas alors, mais ces fichiers allaient servir aux arrestations, puis aux déportations. Ils ont été utilisés pour la première fois en mai 1941. Les Allemands avaient décidé d'arrêter des Juifs étrangers, des hommes seulement, surtout polonais comme tes arrière-grands-parents. Ils ont reçu une convocation leur ordonnant de se rendre au commissariat de leur quartier. Là, on les a fait monter dans des bus qui les ont conduits à la gare d'Austerlitz, et de là dans deux camps situés dans le Loiret, pas très loin d'Orléans, à Pithiviers et Beaune-la-Rolande. Cela a recommencé en août 1941, mais avec une autre méthode. En utilisant les fichiers de la Préfecture, les Allemands ont choisi le XIᵉ arrondissement de Paris, où habitaient beaucoup de Juifs. Avant que le jour se lève, ils ont fait cerner l'arrondissement par des policiers français, puis toute la journée ils sont allés chercher les gens chez eux et en ont arrêté d'autres dans la rue. Comme ils n'ont pas rassemblé le nombre souhaité – à cette époque, beaucoup de Juifs avaient compris qu'il valait mieux ne pas rester dans la zone occupée par les Allemands et étaient passés en zone libre, clandestinement –, pendant cinq jours les Allemands et les policiers français ont continué à arrêter des Juifs dans tout Paris. Seuls les hommes étaient arrêtés. Mais, cette fois, ce n'était plus les seuls étrangers qui étaient concernés. Il y avait également des Français, des avocats très célèbres par exemple. Toujours par autobus, on les a tous conduits à Drancy, le camp par lequel Berthe a transité une année plus tard.

— *Tu m'as dit que Drancy n'était pas tout à fait un camp de concentration.*

— Drancy ne ressemblait pas à un camp comme tu peux l'imaginer. C'était en fait une cité de banlieue qui n'avait pas été terminée et n'avait donc jamais été habitée. Elle comprenait plusieurs centaines de logements répartis dans trois bâtiments formant la lettre U, avec une grande cour au milieu. Rien n'avait été préparé pour accueillir ces quelque 4 000 hommes. Au début, il leur était même interdit d'envoyer des lettres ou de recevoir des colis. Ils n'avaient pratiquement rien à manger, et certains, plus d'une trentaine, sont morts de faim. Mourir de faim dans un pays comme la France, même pendant la guerre, alors que la famine avait disparu depuis plus d'un siècle ! En décembre 1941, l'arrestation de masse visa un groupe plus restreint : à peu près 700 personnes, toutes des personnalités importantes : des avocats, des officiers… Bref, des gens qui appartenaient à l'élite de la société.

— *Ils n'arrêtaient donc que les hommes ?*

— Oui. Mais tout a changé avec le terrible épisode de la rafle du Vél' d'Hiv', dont je t'ai déjà parlé. En deux journées, la police française, sur ordre des Allemands, arrêta 13 000 personnes : mais cette fois surtout des femmes et des enfants. (En effet, il y avait eu des fuites, venant en partie de la Préfecture de police, et souvent les hommes se sont cachés.

Mais les femmes et les enfants, qui ne pensaient pas qu'on pouvait venir les arrêter, sont davantage restés à leur domicile.) Ils ont été conduits au Vélodrome d'Hiver où ils ont vécu quelques jours terribles, avant d'être transférés dans les camps du Loiret, à Pithiviers et Beaune-la-Rolande. Les hommes qui avaient été arrêtés en mai 1941 n'étaient plus là ; ils avaient déjà été déportés à Auschwitz. Puis les mères ont été séparées de leurs enfants ; ce furent des scènes déchirantes. Elles ont été déportées.

– *Sans leurs enfants ?*

– Les Allemands n'avaient pas encore prévu de déporter les enfants. Mais le chef du gouvernement, Pierre Laval, avait proposé qu'on les déporte également. Il fallait attendre la réponse de Berlin. Pendant ce temps, les enfants sont restés seuls, avec quelques assistantes sociales, dans les camps de Pithiviers et de Beaune-la-Rolande. Puis on les a conduits à Drancy et on les a mis à leur tour dans des trains.

– *Dans quel but ?*

– Quand je t'ai raconté le voyage de Berthe, je t'ai dit qu'à l'arrivée à Birkenau certains, peu nombreux, allaient à pied jusqu'aux baraquements, et que les autres, la majorité, pouvaient utiliser les camions. Ces camions les menaient vers d'étranges installations. On les faisait entrer d'abord dans un vestiaire où ils se déshabillaient, puis ils pénétraient dans ce qui ressemblait à des salles de douche. Dans ces salles était envoyé par le toit un gaz mortel – le zyklon B – qui les asphyxiait tous, très rapidement. Leurs corps étaient alors sortis et brûlés dans de grands fours crématoires. Habituellement, on parle pour ces installations de chambres à gaz, parfois de crématoires. Or c'était les deux à la fois. Les plans en ont été retrouvés, et dans certains musées, comme celui qui est installé depuis la fin de la guerre à Auschwitz ou au grand musée très récent de Washington, on a fabriqué des maquettes.

— Qui faisait ce travail ? Les Allemands ?
— Le travail du tri sur le quai entre ceux qui entraient dans le camp parce qu'ils étaient jugés « aptes au travail » et ceux qui allaient directement « au gaz », comme disaient les détenus, était appelé « la sélection ». Elle était faite par des médecins allemands. C'était aussi les Allemands qui versaient le gaz mortel. Mais c'était les détenus, regroupés dans ce qu'on appelait le *Sonderkommando*, le Kommando spécial, qui étaient chargés de brûler les corps. Ils ne restaient pas longtemps affectés à ce travail, car, régulièrement, ils étaient gazés à leur tour.

— Pourquoi les gazait-on, puisqu'ils étaient utiles, « aptes au travail » ?
— Pour qu'ils ne révèlent à personne ce qu'ils avaient vu et ce qu'ils avaient été contraints de faire. Les Allemands ne voulaient pas que cela se sache.

— Pourquoi fallait-il garder le secret puisque tous les Juifs du camp devaient mourir ?
— Pour ne pas attirer l'attention et pour que les déportés soient plus dociles. La tâche horrible qu'accomplissait le *Sonderkommando* était un « terrifiant secret ».

En te l'expliquant le plus clairement possible, le plus calmement possible, je me rends bien compte que je ne t'explique en fait presque rien. Je te décris un processus technique. Comment te dire que cette chose est inouïe ? Que jamais dans l'Histoire, où l'on a pourtant beaucoup massacré, on n'avait ainsi créé des sortes d'usines dans le but d'assassiner à la chaîne ? Que seulement à Birkenau, il y a eu environ – c'est très difficile à compter – 1 million de personnes assassinées sur un aussi petit coin de terre ? Un homme qui vivait dans le ghetto de Varsovie et qui, comme beaucoup, écrivait son *Journal*, Abraham Lewin, nota qu'une rumeur circulait prétendant qu'on assassinait dans le ghetto de Lodz, une autre grande ville de Pologne, des enfants de dix ans : « Il est dur pour la langue de prononcer de tels mots, pour l'esprit d'en comprendre le sens, de les écrire sur le papier. »

Tu sais, la mort de son enfant est la chose la plus terrible, la plus irréparable, qui puisse arriver. Tu as appris par cœur en classe le poème que Victor Hugo a écrit quatre ans après la noyade accidentelle de sa fille Léopoldine, *Demain, dès l'aube*, et tu as été bouleversée par sa douleur inconsolable. Dans les massacres ou les famines, les enfants ne sont pas épargnés. Mais avec Auschwitz, il s'agissait d'autre chose. Il s'agissait d'atteindre un peuple tout entier dans sa descendance, de traquer tous ses enfants, où qu'ils soient, pour les assassiner afin que ce peuple disparaisse de la terre à jamais.

– *Tu dis parfois Auschwitz, parfois Birkenau…*

– Auschwitz est le nom du camp principal. Il a été ouvert par les nazis après la conquête de la Pologne pour y interner les opposants polonais, ou les élites polonaises – les professeurs ou les prêtres par exemple. C'était un camp de concentration comme les nazis en avaient créé dès leur prise du pouvoir, en 1933, pour y enfermer ceux qui les avaient combattus – les socialistes, les communistes et certains catholiques par exemple – et ainsi terroriser toute la population. Le premier de ces camps de concentration a été créé à Dachau, en Allemagne. Il y a eu ensuite Buchenwald et pour les femmes Ravensbrück. Quand, en 1938, l'Autriche fut annexée à l'Allemagne, les nazis y ouvrirent le camp de Mauthausen. Quand ils annexèrent l'Alsace, en 1940, ils créèrent à proximité de Strasbourg le camp du Struthof. En Pologne, ce fut Auschwitz, installé dans des bâtiments en brique précédemment utilisés par l'armée. C'est la SS qui avait la haute main sur ce camp.

– *Ça veut dire quoi exactement, SS ?*

– SS, ce sont les initiales en allemand de *Schutzstaffel,* qui signifie « échelon de protection ». Au départ, c'était la garde personnelle de Hitler, une sorte de police privée pour lui et le parti nazi. Après la prise du pouvoir, le groupe a grossi, sans être jamais très nombreux, 250 000 hommes environ. Ils étaient totalement endoctrinés, violemment antisémites. Petit à petit, sous la direction d'un homme qui était le plus fidèle compagnon de Hitler, Heinrich Himmler, ils ont constitué une sorte d'État dans l'État et ont été chargés notamment des camps de concentration et de l'élimination des Juifs.

– *Alors Birkenau est aussi un camp de concentration, un autre camp ?*

– Oui et non. A trois kilomètres au nord-ouest du camp de concentration d'Auschwitz, en prévision de l'attaque de l'Union soviétique, qui eut lieu le 22 juin 1941, les Allemands avaient installé un vaste camp fait de baraques en bois à Brzezinka, en allemand Birkenau, à l'emplacement d'un village qu'ils avaient fait raser. On l'appelle aussi Auschwitz II. Environ 15 000 prisonniers de guerre soviétiques y ont été effectivement détenus, et tous ont péri. C'est là que furent aussi déportés, à partir de 1942, les Juifs de toute l'Europe occupée et que furent construites les énormes chambres à gaz-crématoires dont je t'ai parlé.

– Tu cites pêle-mêle des noms de camps de concentration et tu me dis que Birkenau n'est pas tout à fait un camp de concentration. Qu'est-ce que cela signifie ?

– Souvent, surtout en France, on confond les camps de concentration et les lieux où les Juifs ont été assassinés. Je t'ai dit que Berthe avait été déportée. Ce terme de « déporté » est utilisé en France pour toutes les personnes que les nazis ont envoyées dans les différents camps, en Allemagne ou en Pologne. Un bébé arrêté pendant la rafle du Vél' d'Hiv' est « déporté », de même que Geneviève de Gaulle Anthonioz, la nièce du général de Gaulle, qui a été membre d'un mouvement de Résistance et a été envoyée à Ravensbrück. On a utilisé aussi ce terme de « déporté » pendant tout le XIXe siècle pour désigner ceux qui étaient condamnés au bagne pour des raisons politiques, comme Alfred Dreyfus ou Louise Michel. Tu vois que ce n'est pas un mot nouveau.

– Alors, quelle est la différence ?

– Ce qui fait la très grande différence, c'est ce qui se passe à l'arrivée. L'immense majorité des Juifs est envoyée dans des lieux, qu'on appelle parfois des camps, dans le seul but d'être mise à mort. Un grand historien américain, Raul Hilberg, préfère d'ailleurs ne pas utiliser pour ces lieux les termes de

« camps » ou « camps de la mort » ou « camps d'extermination », mais ceux de « centres de mise à mort ». Je pense qu'il a raison. Le premier de ces centres a été mis en route en décembre 1941 à Chelmno-sur-Ner, en Pologne, que les Allemands avaient rebaptisé Kulmhof. Les installations de Chelmno ont été suivies par celles de trois autres centres de mise à mort, Belzec, Sobibor et Treblinka, dont on ne parle presque jamais parce qu'il n'y a eu pratiquement aucun survivant pour écrire ensuite des témoignages ou raconter ce qui s'y est passé. Dans ces lieux, les nazis amenèrent par trains des milliers et des milliers d'hommes, de femmes et d'enfants, probablement 2,7 millions, uniquement pour les gazer ; ils enterraient ensuite leurs corps dans des fosses ou les brûlaient dans les fours crématoires. Il n'y avait donc pas besoin de grandes installations, ni de nombreuses baraques, puisque ces lieux n'étaient pas destinés à garder les prisonniers longtemps. Deux camps pourtant ont été à la fois des camps de concentration et des centres de mise à mort, ce sont Majdanek et Auschwitz-Birkenau. Sans qu'on puisse établir de séparation étanche, puisque les détenus circulaient entre Auschwitz et Birkenau, Auschwitz était plutôt un camp de concentration, Birkenau plutôt un centre de mise à mort.

– *Pourquoi est-ce qu'on parle surtout d'Auschwitz ?*

– Auschwitz est le plus célèbre pour diverses raisons. D'abord, parce que les morts y ont été les plus nombreux ; ensuite, et c'est un peu paradoxal, parce que les survivants – que ce soient des résistants de tous les pays ou des Juifs – ont été aussi les plus nombreux, qu'ils ont constitué après leur libération d'importantes associations et ont beaucoup témoigné.

Les camps de concentration ont été des lieux terrifiants. Pour l'essentiel, les façons d'entrer dans un camp sont identiques et elles ressemblent à celles que Berthe a vécues, à une exception près : Auschwitz est le seul camp où un numéro est inscrit dans la chair.

Ceux qui ont été détenus ont souffert de la faim, du froid et ont souvent dû faire des travaux exténuants et même mortels dans des carrières ou des usines. Ils ont vécu l'humiliation extrême. Au début, ce sont des Allemands qui y ont été détenus : les opposants, mais aussi les témoins de Jéhovah qui refusaient d'abjurer leur foi, de faire le salut hitlérien et, plus tard, pour les hommes, d'aller à l'armée, et, pour les femmes, de travailler pour les industries de guerre. Ce sont aussi les homosexuels. Si la mortalité dans les camps de concentration pendant les années de guerre a été effrayante – un détenu sur quatre dans les moins mauvais, comme Buchenwald ; un sur deux dans les pires, comme Mauthausen –, rien ne permet aujourd'hui d'affirmer que le but de l'internement dans ces camps était l'extermination pure et simple.

– Tu parles de 2 700 000 morts par gazage. Pourtant, le nombre que j'entends habituellement est de 6 millions.

– Le nombre de 6 millions englobe tous les Juifs qui ont été assassinés par gazage ou d'autres méthodes. Les historiens ne sont pas tous d'accord. Pour certains, c'est 5 millions ; pour d'autres, 7. Quand la mort est aussi massive, il est bien difficile de donner des chiffres exacts.

Nous sommes partis d'Auschwitz. De fait, le nom d'Auschwitz sert souvent maintenant de symbole pour désigner la destruction des Juifs d'Europe. Et comme cet épisode est le plus sombre de toute l'histoire du XXᵉ siècle, il sert aussi parfois à désigner le mal le plus extrême que l'homme peut faire à l'homme.

— *On parle aussi de génocide.*
— Tu as raison. C'est un mot récent, puisqu'il a été inventé en 1944, précisément pour désigner l'extermination des Juifs, par un professeur de droit international, Raphael Lemkin, qui avait émigré de Pologne aux États-Unis. Ce mot est composé de la racine grecque *genos*, la race, et du verbe latin *coedere*, tuer. Il désigne la tentative de faire disparaître un peuple.

— *Et l'holocauste ?*
— Aux États-Unis, on n'utilise que le mot « holocauste ». Je ne l'aime pas. Il signifie « sacrifice par le feu » et peut laisser croire que les Juifs se sont, ou ont été, sacrifiés à Dieu. En 1985, un cinéaste, Claude Lanzmann, a produit un étrange chef-d'œuvre dans lequel il filmait, parfois sur les lieux mêmes de la destruction, des survivants et des témoins. C'est un film aride, celui qui rend le mieux compte de ce que fut la destruction des Juifs. Il dure près de dix heures, et il faudra absolument que tu le regardes quand tu seras plus âgée. Il l'a intitulé d'un mot hébreu, *Shoah*, qui veut dire « destruction ». La Shoah est une autre façon de nommer le génocide des Juifs, qui ne se résume pas à Auschwitz.

– Le mot « génocide », tu viens de m'expliquer qu'il avait été inventé pour désigner ce qui s'est passé pour les Juifs dans l'Europe nazie. Mais je l'entends souvent utiliser pour désigner d'autres événements. C'est possible ?

– C'est une question très difficile. Les philosophes, les historiens et même les hommes politiques en discutent, et les désaccords sont parfois très violents. Rien de plus normal. Raphael Lemkin, le professeur de droit dont je t'ai parlé, donne du génocide une définition juridique. Elle doit servir à la justice internationale. Depuis 1948, les Nations unies ont mis le génocide hors la loi internationale. Pour nous autres, historiens, le mot lui-même a moins d'importance que la compréhension des phénomènes du passé. Si on définit le génocide comme la volonté d'un pouvoir, ou d'une partie de ce pouvoir, même si on a du mal à discerner une décision et l'auteur de cette décision, de détruire un peuple, je crois que deux autres événements dans l'histoire du XXᵉ siècle peuvent être qualifiés de génocide : d'abord le massacre des Arméniens par les Turcs, en 1915, pendant la Première Guerre mondiale ; plus proche de nous, celui des Tutsis par les Hutus, au Rwanda, en Afrique.

– Si on revient à la période de la guerre, les Juifs ont été les seuls à être destinés à la mort ?

– Les Juifs n'ont pas été les seuls à périr dans les chambres à gaz. Il y eut aussi les Tziganes. Ils furent, dans le IIIᵉ Reich, internés dans tous les camps de concentration, et aussi dans les ghettos. Ils ont été aussi transférés dans les centres de mise à mort. A Birkenau fut ouvert, en 1942, le « camp des familles » : trente-deux baraques où furent regroupées, en famille, à peu près 20 000 personnes. Dans la nuit du 1er au 2 août 1944, tous, hommes, femmes, enfants, furent envoyés à la chambre à gaz.

– *Comment sont morts ceux qui n'ont pas été assassinés dans les chambres à gaz ?*
– Le génocide des Juifs, ou la « Solution finale de la question juive » pour reprendre la terminologie des nazis eux-mêmes, ne se résume ni à Auschwitz ni aux centres de mise à mort.

– *Qu'y avait-il d'autre ?*
– L'objectif premier des nazis en ce qui concerne les Juifs, je te l'ai déjà expliqué, c'était de les faire disparaître du IIIe Reich, dans un premier temps en les faisant partir. De 1933 à 1939, des Juifs ont pu quitter l'Allemagne, ou l'Autriche, ou la partie de la Tchécoslovaquie annexée, en abandonnant l'essentiel de leurs biens. Le problème principal pour eux était ensuite de trouver un pays où se réfugier. Les États-Unis avaient fermé leurs portes dès la fin de la guerre de 14-18. Avec la crise économique qui ravagea l'Europe dans les années trente, tous les pays se sont fermés à l'immigration les uns après les autres. En 1939, il ne restait plus qu'un lieu qui acceptait d'accueillir les Juifs : Shanghai, la plus grande ville de Chine ! Les Juifs étaient désormais pris comme dans une nasse. Dès le début de la guerre, les Allemands ont songé à créer quelque part une sorte de réserve pour Juifs. Ils ont pensé d'abord à l'île de Madagascar, qui était alors une colonie française. Si un traité de paix avec la France avait été signé, les Allemands auraient déporté dans l'île à peu près 4 millions de Juifs, sous la garde de la SS. Le traité ne fut pas signé. Après l'invasion de la Pologne,

en septembre 1939, ils songèrent à constituer une réserve près de Lublin, à Nisko, en Pologne. Ils commencèrent à y déporter des Juifs dans des conditions si effroyables qu'ils y moururent par centaines. Mais à partir de février 1941, il fut interdit aux Juifs de quitter le grand Reich.

— *Ils ne pouvaient donc plus s'enfuir ?*

— Avec l'invasion de la Pologne par l'armée allemande, 3 millions de Juifs étaient tombés en leur pouvoir. Les Juifs constituaient 10 % de la population de la Pologne, mais parfois presque la moitié de la population de certaines villes et de certaines bourgades. Dans leur immense majorité, ils n'étaient pas « assimilés » comme ceux d'Allemagne ou de France. Ils formaient ce qu'on appelle une « minorité nationale », avec, en principe, certains droits culturels, comme celui d'enseigner dans leur langue, le yiddish. Toutes sortes de partis politiques les représentaient dans les conseils municipaux des villes ou au parlement.

Tout de suite, les Allemands ont constitué des ghettos.

— *C'est quoi exactement un ghetto ?*

— Aujourd'hui, ce mot est employé pour désigner dans une ville des quartiers habités par une population minoritaire et dont les conditions d'existence sont difficiles, comme les Noirs dans le quartier de Harlem à New York, ou même en France certaines cités de banlieue. Mais, en Pologne, c'était des ghettos qui ressemblaient davantage à ceux du Moyen Age, c'est-à-dire des quartiers totalement isolés. Les Allemands ont forcé les Juifs à habiter ces quartiers séparés du reste de la ville « aryenne » – non juive – par des barbelés ou, pour le plus impor-

tant d'entre eux, le ghetto de Varsovie, par des murs.
Ils ont obligé les habitants des petites villes à venir
s'entasser dans ces ghettos des grandes villes ; ils y
ont déporté ensuite des Juifs d'Allemagne et des
Tziganes. Les Juifs devaient s'organiser entre eux,
comme s'ils étaient dans une sorte de petit État indé-
pendant, mais démuni de tout.

– *Comment se sont-ils organisés ?*

– Les Allemands leur ont ordonné de désigner
parmi eux ceux qui seraient membres du gouvernement du ghetto, le Conseil juif, le *Judenrat*. C'est le
Conseil juif qui devait loger et nourrir la population,
organiser le travail, s'occuper de l'hygiène, et aussi
faire respecter, à l'aide de sa propre police, les ordres
des Allemands. Certains, devenus présidents du
Judenrat, comme Rumkowski, à Lodz, ont été comme
enivrés par le pouvoir qui leur était ainsi donné – il
s'est cru devenu le roi des Juifs, a fait frapper de la
monnaie à son effigie. Mais c'est une exception.
D'autres ont cru qu'ils pourraient, grâce à ce pouvoir, sauver une partie des Juifs en les faisant travailler pour les Allemands : le travail de ces gens
serait si utile que les Allemands se verraient dans
l'obligation de les maintenir en vie. C'était en fait
une situation impossible. Que fallait-il faire ? Laisser
son peuple au contact direct des nazis, sans aucune
organisation ? Tenter d'organiser la vie, ou plutôt la
survie, le moins mal possible ? Ceux qui avaient fait
partie de ces *Judenräte* ont même été accusés par
certains d'avoir été des collaborateurs des Allemands dans l'extermination de leur propre peuple.

– *Ça a été le cas ?*

– Quand on y réfléchit, on a le sentiment qu'une
fois l'étau refermé, presque plus rien n'était pos-

sible, que les dirigeants juifs se sont trouvés dans une impasse absolue et que, quoi qu'ils fassent, ils étaient en quelque sorte coupables. Il n'y avait pas de solution, parce que tout le monde, au bout du compte, était promis à la mort.

Les conditions de vie dans les ghettos ont été terribles, par la volonté des Allemands. A Varsovie par exemple, en 1941, il y avait environ 550 000 personnes entassées sur 403 hectares. Dans chaque appartement vivaient au moins quinze personnes, soit six ou sept et probablement davantage par pièce. Les Allemands ne laissaient pénétrer la nourriture qu'avec une extrême parcimonie. La faim fut durement ressentie, et le typhus, une maladie bien souvent mortelle propagée par les poux, fit des ravages. Entre janvier 1941 et juillet 1942, 61 000 personnes moururent dans le seul ghetto de Varsovie. En tout, 600 000 sont morts de faim dans l'ensemble des ghettos. On trouvait tous les jours dans les rues des cadavres dans un état de grande maigreur.

Pourtant, la vie s'y est organisée. Les militants de diverses associations, souvent liées à des partis politiques, ont créé des dispensaires, des orphelinats, des centres pour les réfugiés, des cantines populaires. Les offices religieux ont été célébrés clandestinement. Des bibliothèques, des théâtres, et même une faculté de médecine clandestine, fonctionnaient. Certains s'enrichissaient grâce à divers trafics et faisaient la fête dans des cabarets.

– Comment sait-on de façon si précise ce qu'ils ont vécu ?
– C'est un phénomène unique dans l'Histoire : les gens qui étaient enfermés dans les ghettos écrivaient et archivaient. Chaïm Kaplan, un instituteur

enfermé dans le ghetto de Varsovie et qui n'a pas survécu, explique pourquoi il tient son Journal, alors qu'ainsi il met ses jours en danger : « J'ai le sentiment profond de la grandeur des temps que nous vivons, de ma responsabilité à leur égard, et j'ai la conviction intime que je remplis ainsi un devoir à l'égard de l'histoire, auquel je n'ai pas le droit de me dérober. [...] Mon journal sera une source dont se serviront les futurs historiens. » Emmanuel Ringelblum, un jeune historien lui aussi enfermé, a constitué des équipes chargées de rassembler tous les documents possibles produits dans le ghetto. Il a placé ces archives dans des bidons métalliques qu'il a enterrés. Après la guerre, en creusant dans les ruines du ghetto de Varsovie, on a retrouvé l'essentiel de ces archives.

— *Tu as l'air de trouver cela très important. Pourquoi ?*

— Les nazis voulaient effacer un peuple de la terre, et jusqu'à son souvenir. Un historien, Ignacy Schiper, qui a été assassiné à Majdanek, l'explique très bien : « [...] tout dépend de ceux qui transmettront leur testament aux générations à venir, de ceux qui écriront l'histoire de cette époque. L'Histoire est écrite, en général, par les vainqueurs. Tout ce que nous savons des peuples assassinés est ce que leurs assassins ont bien voulu en dire. Si nos assassins remportent la victoire, si ce sont eux qui écrivent l'histoire de cette guerre, notre anéantissement sera présenté comme une des plus belles pages de l'histoire mondiale, et les générations futures rendront hommage au courage de ces croisés. Chacune de leurs paroles sera parole d'Évangile. Ils peuvent ainsi décider de nous gommer complètement de la mémoire du monde, comme si nous n'avions jamais existé, comme s'il n'y avait jamais eu de judaïsme polonais, de ghetto à Varsovie, de Majdanek. »

— *Les morts des ghettos, les morts par gazage, je ne comprends toujours pas le chiffre de 6 millions.*
— Les Juifs ont été tués en masse lors de l'invasion de l'Union soviétique par l'armée allemande, la Wehrmacht, en juin 1941. Accompagnant les armées, de petits Kommandos spéciaux constitués d'une poignée de SS avaient pour tâche de massacrer les responsables communistes et les Juifs. Car, chez les nazis, la haine des communistes rejoignait celle des Juifs. Communistes, ou bolcheviks comme ils disaient, étaient souvent pour eux synonymes de Juifs. Pourtant, là encore, il y avait une différence entre les Juifs et les responsables communistes. Ohlendorf, à la tête de l'un de ces groupes qui ont assassiné 90 000 personnes, l'explique lui-même. « L'ordre prescrivait que la population juive devait être totalement exterminée », déclara-t-il, tout en précisant qu'il n'avait pas « eu connaissance qu'on ait recherché la famille d'un commissaire soviétique ».

— *Que devaient-ils faire exactement ?*
— Quand ces groupes spéciaux arrivaient quelque part, ils rassemblaient la population juive sur la place du village, puis la conduisaient hors de l'agglomération, dans un endroit isolé où une ou plusieurs fosses avaient été creusées. Je préfère laisser Abraham Aviel, le seul survivant de sa famille, raconter : « On commença à conduire les Juifs en direction de la fosse, en rang, groupe par groupe. On leur a ordonné de se déshabiller, et lorsqu'ils mon-

taient sur le talus, on entendait des rafales de coups de feu et ils tombaient dans la fosse. Des enfants, des femmes, famille après famille, chaque famille allait ensemble. »

Ce type de massacres a duré pratiquement jusqu'à la fin de la guerre, mais ils ont surtout été importants entre la fin du mois de juin 1941 et décembre de la même année. 700 000 Juifs au moins ont été ainsi massacrés.

– Comment des hommes pouvaient-ils faire ça à des enfants ?

– On s'est beaucoup posé la question. Je continue d'ailleurs à me la poser. D'autant que, dans certains cas, le commandant avait proposé aux soldats qui ne souhaitaient pas participer aux massacres d'être versés dans une autre unité. Très peu ont accepté. Pour certains historiens, tout cela ne peut se comprendre que dans le contexte de la guerre, où la violence est partout présente, où la mort devient banale. D'autres expliquent cette capacité à massacrer par le fait que l'homme ne veut pas se désolidariser de son groupe, ne veut pas paraître lâche, par exemple. Certains expliquent cela par l'obéissance à l'autorité. Ils citent une expérience qui a été menée aux États-Unis, dans une université, par un scientifique, le Dr Stanley Milgram. Ce dernier voulait tester la capacité de l'individu à résister à l'autorité. Il fit donc appel à des volontaires pour une prétendue expérience scientifique. Une « autorité scientifique » chargeait ces volontaires d'infliger des chocs électriques à une victime, en réalité un acteur. Au fur et à mesure que les chocs devenaient plus intenses, la « victime » gémissait, hurlait, appelait à l'aide, puis restait enfin silencieuse, faisant semblant d'être morte. Deux volontaires sur trois, des hommes et des femmes ordinaires, comme toi et moi, ont ainsi infligé à une personne qu'ils ne connaissaient pas, par seule obéissance à une « autorité » – ici scientifique –, des chocs qu'ils croyaient mortels, sans pitié pour leur victime.

– Tu crois que tout le monde est capable de massacrer n'importe qui, parce que son supérieur le lui demande ?

– Non, pas tout le monde, puisque dans l'expérience de Milgram certains refusèrent d'aller jusqu'au bout. Il y a aussi une autre explication : certains pensent que les massacres s'expliquent par l'intensité de la propagande antisémite assimilant les Juifs à de la vermine. Les éliminer alors n'était pas tuer des hommes.

– Ceux qui le faisaient ne se sentaient pas coupables, n'avaient pas de remords ?

– Ce qui est sûr, c'est que massacrer ainsi ne se faisait pas aisément, du moins la première fois. Le plus souvent, les hommes avaient bu et continuaient à boire après le massacre. C'est l'inquiétude pour la santé mentale de ces hommes, le risque de les voir se transformer en pures machines déshumanisées qui expliquent le passage des massacres par fusillade devant des fosses creusées près des villages au gazage industriel dans les camps de Pologne. C'est en décembre 1941, comme je te l'ai déjà dit, que, pour la première fois, les Juifs furent assassinés par le gaz, d'abord dans des camions aménagés à cet effet. Le but recherché par cette méthode était d'éloigner la victime du bourreau, qui ainsi ne la tuait plus de ses propres mains. Il pouvait garder l'illusion d'être innocent, de ne pas avoir de sang sur les mains.

– C'était la première fois qu'on utilisait de telles méthodes ?

– Oui et non. Le gaz avait déjà été utilisé dans une vaste opération d'euthanasie déclenchée par Hitler. Pour lui, les malades mentaux coûtaient cher à la société. De plus, s'ils procréaient, ils risquaient de porter atteinte à la « race ». Déjà, même avant son arrivée au pouvoir, des hommes et des femmes métissés, par exemple ceux issus de couples composés d'Allemandes et de Sénégalais qui, avec l'armée française, avaient occupé la Ruhr après la Première Guerre mondiale, avaient été stérilisés. Hitler avait aussi donné l'ordre de tuer les malades mentaux dont il estimait « la vie indigne d'être vécue ». Ainsi, déjà, le pouvoir politique pouvait décider de qui devait vivre et qui devait être effacé de la planète. Des travaux récents indiquent qu'environ 200,000 de ces malades périrent en grand secret, le plus souvent dans des camions à gaz. L'opération cessa en 1941 quand des prêtres catholiques protestèrent enfin. Il est intéressant de noter que ce sont les mêmes hommes qui menèrent à bien l'opération d'euthanasie et mirent en fonctionnement les premiers centres de mise à mort pour les Juifs.

– Hitler a-t-il voulu tuer tous les Juifs dès son arrivée au pouvoir ?

– Non, ce n'est qu'au tournant 1941-1942 que la mise à mort des Juifs d'Europe est devenue systématique. Il ne s'agit plus alors de tuer les Juifs qui sont là, en Pologne occupée ou en Union soviétique, à portée de la main en quelque sorte, mais tous les Juifs d'Europe. Le 20 janvier 1942 à Wannsee, un faubourg de Berlin, se trouvent réunis, pour discuter de la « Solution finale du problème juif », des représentants des grands corps de l'État qui sont impliqués dans cette entreprise : le ministère du Reich pour les territoires occupés de l'Est, le ministère de l'Intérieur, de la Justice, des Affaires étrangères… On connaît bien cette conférence parce que son procès-verbal a été conservé. Je t'en cite un extrait, suffisamment clair même si le langage, comme souvent chez les nazis, demeure codé car tout cela devait en principe rester secret : « Sous une direction autorisée, les Juifs doivent être – dans la perspective d'une solution finale – transférés à l'Est et forcés d'y travailler. Ils seront constitués en grandes compagnies de travailleurs, avec séparation des sexes. Les Juifs aptes au travail seront conduits dans ces régions pour des travaux de terrassement sur les routes. Il faut naturellement s'attendre à une élimination naturelle – par la mort – d'une proportion importante de ces effectifs. L'élément naturel qui se sera maintenu en vie devra de ce fait même être considéré et traité comme résistant, constituant une sélection naturelle. La remise en liberté de tels individus présenterait le danger de la formation d'un noyau de nouvelle réédification juive. »

– *En langage clair, comment tu traduirais ?*
– Cela signifie que ceux que les conditions de travail ne tueront pas, et qui sont donc les plus résistants, devront être éliminés par d'autres moyens, de crainte de voir renaître le peuple juif.

*– Ce n'est donc pas un hasard si la rafle du Vél'
d'Hiv' a eu lieu en juillet 1942 ?*

– Si l'on devait désigner le mois le plus terrible
de toute la guerre, ce serait incontestablement le
mois de juillet 1942. Pratiquement en même temps
que la grande rafle du Vél' d'Hiv', les SS organisè-
rent la grande déportation des Juifs de Varsovie.
Ils souhaitaient s'appuyer sur le chef du *Judenrat*,
Adam Czerniakow. Cet homme tenait lui aussi son
Journal, notant chaque jour ce qui se passait dans le
ghetto sur de petits carnets. Le 22 juillet 1942, il
note : « On a coupé le téléphone. Les enfants ont été
éloignés de la cour proche de la communauté. On
nous a déclaré que, à l'exception de quelques cas,
tous les Juifs, sans exception d'âge et de sexe,
seraient évacués vers l'Est. Aujourd'hui, nous
devons livrer un contingent de six mille personnes
avant seize heures. Il en sera de même (sinon plus)
chaque jour. » Le lendemain, Czerniakow se sui-
cide : il a compris que ce que les Allemands appel-
lent « la réinstallation à l'Est » est en réalité la mort.
Il laisse un mot à sa femme : « On veut que je tue de
mes propres mains les enfants de mon peuple. »

*– La déportation se fait donc sans chef du
Judenrat.*

– Même sans Czerniakow, au rythme de 5 000 à
7 000 déportés par jour, le ghetto se vide. Une gare a
été aménagée, à la lisière du ghetto, d'où partent des
trains pour le centre de mise à mort de Treblinka, à
cent vingt kilomètres de Varsovie ; alors que ceux
partis de France, des Pays-Bas ou de Belgique avec
une même cargaison humaine roulent vers Auschwitz. Cette déportation des Juifs de Varsovie a duré
sept semaines. Là encore, on n'a pas de chiffres

exacts, mais on estime que 265 000 à 310 000 Juifs de Varsovie ont été gazés dès leur arrivée à Treblinka.

– Je n'arrive pas à comprendre pourquoi ils se sont laissé prendre. Pourquoi n'ont-ils pas résisté ?

– Certains ont dit que les Juifs s'étaient laissé « conduire comme des moutons à l'abattoir ». Ces morts ne méritent pas un tel mépris. Il faut tenter de se remettre dans le contexte de l'époque. Je sais que c'est ce qu'il y a de plus difficile. D'abord, les Juifs ne savaient pas que les nazis voulaient leur mort à tous et que les trains les emportaient vers les chambres à gaz. Quand les nazis les ont recensés, les ont privés de leurs biens, avec parfois, comme en France, la complicité d'un gouvernement collaborateur, les ont mis, comme en Pologne, dans des ghettos, ils n'étaient pas conscients de l'engrenage qui se mettait en place ni surtout de ce à quoi il aboutirait. Et même s'ils avaient des doutes, si des rumeurs leur parvenaient, ils ne pouvaient les croire tant cela leur semblait invraisemblable et monstrueux. Comment d'ailleurs auraient-ils pu en être conscients, puisque les Allemands eux-mêmes n'avaient pas encore donné de contenu précis à ce qu'ils appelaient la « Solution finale » ? Comme je te l'ai déjà expliqué, ils avaient pendant un temps songé à rendre le Reich *Judenrein*, nettoyé des Juifs, par l'émigration.

– Quand ont-ils décidé que la « Solution finale », c'était l'extermination pure et simple ?

– Comme il n'existe pas d'ordre écrit de Hitler, les historiens ne sont pas d'accord entre eux. Pour certains, c'est en juin 1941, avec l'invasion de l'Union soviétique ; pour d'autres, il y a en quelque sorte des décisions qu'on pourrait appeler régionales : éliminer les Juifs soviétiques, puis ceux de Pologne ; enfin, avec la conférence de Wannsee, tous les Juifs d'Europe susceptibles de tomber entre leurs mains. Ce qui est sûr, c'est qu'au moment où les Juifs de France sont recensés ou quand ceux de Varsovie sont enfermés dans un ghetto muré, il n'y a pas encore de décision d'extermination. Nous connaissons la fin de cette histoire et nous en interprétons chaque élément en fonction de cette fin. Mais ceux qui vivaient à l'époque ne la connaissaient pas ! Jour après jour, sans informations, sans journaux et sans radio, livrés aux rumeurs les plus contradictoires, ils devaient se représenter ce que serait le lendemain. S'ils avaient su par exemple, comme nous le savons aujourd'hui, que les fichiers du recensement allaient être utilisés pour les arrêter, se seraient-ils fait recenser ? Tu peux répondre toi-même à cette question.

– *Que savait-on à l'époque ? Des informations pouvaient-elles circuler ?*

– Il est très difficile de se rendre compte de ce que les gens savaient à l'époque. Cela dépend beaucoup de l'endroit où ils vivaient. En Pologne, par exemple, où se trouvaient les lieux de la destruction, les nouvelles ont circulé très vite. Mais ce n'est pas pour autant que les gens y ont cru. En France, ce fut probablement plus lent. Des hommes ou des femmes ont pris des risques pour faire passer des informations. Par exemple, beaucoup ont été prévenus de la rafle du Vél' d'Hiv' par des informations parfois même transmises par des policiers. Les Allemands avaient prévu d'arrêter 30 000 Juifs en deux jours. Or ils n'ont pu en rafler « que » 13 000, ce qui est déjà terrible. Comme jusque-là on n'avait arrêté que des hommes, les femmes pensaient être préservées ainsi que leurs enfants. C'est pourquoi, ce jour-là, ce sont en majorité des femmes et des enfants qui ont été pris.

– *On pouvait quand même échapper aux rafles ?*
– On pouvait choisir de passer dans l'illégalité. Mais ce n'était pas toujours facile. Cela dépendait des pays. En France, par exemple, il fallait se procurer des faux papiers, avoir de l'argent pour payer un passeur qui faisait franchir clandestinement la ligne de démarcation qui séparait la zone occupée de la zone libre. Si on était étranger, qu'on parlait mal le français, avec un accent, c'était particulièrement dangereux. Et, surtout, il fallait se nourrir et nourrir sa famille. Plus on était pauvre, moins on avait d'économies et plus c'était difficile. Beaucoup de Juifs ont pourtant survécu, aidés par la population. Sur les 330 000 Juifs qui habitaient la France en 1939, 75 000 environ sont morts en déportation. Berthe fait partie des 2 500 Juifs de France qui ont été déportés et ont survécu à Auschwitz. Quatre Juifs sur cinq ont donc été sauvés. En Pologne, où environ 3 millions de Juifs ont péri, il était pratiquement impossible de se cacher. Peut-être parce que la population était profondément antisémite et donc peu encline à cacher des Juifs. En Pologne, comme en Allemagne, on considérait qu'il y avait une « question juive », et un grand nombre de Polonais, pourtant eux-mêmes terriblement opprimés par les nazis, n'étaient pas fâchés que ces derniers règlent le problème, car pour eux c'était un problème qu'il y ait beaucoup de Juifs dans leur pays. Et puis, la loi allemande qui s'appliquait en Pologne fut plus rude qu'elle ne l'a été en France sur cette question. Si un catholique polonais

cachait un Juif et était découvert, lui et tous ceux qui habitaient sa maison étaient exécutés sur-le-champ.

– *Et les Juifs, en général, ont-ils résisté ?*

– Si on réfléchit bien, c'est plutôt que des Juifs aient pu résister qui peut sembler étonnant. Les historiens – tu vois qu'ils aiment débattre, même s'ils s'accordent sur la matérialité des faits – ont beaucoup discuté pour savoir ce qu'était la résistance pour les Juifs. Certains pensent qu'il faut comprendre le mot « résistance » au sens propre, comme tu l'apprends en cours de physique : une résistance, c'est une force qui s'oppose à une autre force. Résister, pour les Juifs, c'était donc tout simplement lutter pour assurer sa survie, opposer la force de la vie à celle de la volonté de meurtre. Ainsi, en France, des organisations comme l'Œuvre de secours à l'enfance (OSE) ont permis de sauver des enfants.

– *Parce qu'on a pu sauver des enfants ?*

– Pour sauver les enfants, il fallait leur fournir des faux papiers, trouver des jeunes filles pour les emmener vers des lieux où ils seraient en sécurité, le plus souvent des familles à la campagne ou des couvents. Certaines régions, comme les Cévennes ou le village du Chambon-sur-Lignon, dans le Massif central, ont été pour les Juifs de véritables refuges. En Pologne, c'est seulement après la déportation des Juifs de Varsovie, à l'été 1942, que les premiers appels à aider les Juifs ont été lancés.

– *Pourquoi était-il plus difficile de venir en aide aux Juifs en Pologne ?*

– La volonté de sauver les Juifs n'était pas trop répandue dans la société polonaise. Une femme écrivain, très célèbre alors en Pologne, Zofia Kossak-Szczucka, a rédigé une protestation : « Celui qui se tait devant le meurtre devient complice du meurtre. Celui qui ne condamne pas approuve. » En Pologne, rien n'était favorable aux Juifs. L'occupation allemande était particulièrement brutale. Les élites polonaises étaient systématiquement emprisonnées, envoyées en camp de concentration ou fusillées. La situation des Polonais était d'une grande précarité. Pourtant, un comité d'aide aux Juifs a été créé, regroupant des responsables de partis politiques juifs et de partis politiques polonais. Ce comité a distribué de l'argent, aidé 8 000 Juifs à se cacher en leur fournissant des faux papiers, en leur trouvant des abris, ce qui était très difficile, en construisant d'invraisemblables cachettes dans des caves ou derrière des faux murs construits dans les appartements. Il a caché environ 2 500 enfants dans des couvents, 1 300 dans des familles polonaises. Ces chiffres sont dérisoires par rapport aux 3 millions de morts. Mais ils donnent à réfléchir sur cette forme d'héroïsme très particulier, très discret de ces hommes et de ces femmes qui ont fait simplement leur devoir d'êtres humains. Dans des temps inhumains, être simplement humain relève parfois de l'héroïsme.

— *C'est pour ça que les « centres de mise à mort » ont tous été situés en Pologne ?*
— Je ne crois pas. Je pense que c'était largement pour une question pratique que ces lieux étaient choisis car beaucoup de Juifs habitaient dans leurs environs.

— *Donc pour les Juifs, résister, c'était survivre et aider d'autres à survivre ?*
— Pas seulement. Certains ont participé à de grands mouvements de Résistance, les armes à la main. C'est

ce que fit par exemple ton grand-père, Étienne, quand il rejoignit, à Grenoble, puis à Lyon, les groupes armés des Francs-Tireurs Partisans de ce qu'on appelait la MOI, la Main-d'œuvre immigrée. Avec ses copains, souvent des copains de l'école communale de Belleville, qui comme lui n'étaient pas vraiment des étrangers puisqu'ils étaient nés en France et parlaient naturellement le français, ils ont lutté contre l'occupant nazi en faisant dérailler des trains, en organisant des attentats contre les Allemands. Pourtant, quand nous discutons de cette période avec lui, il exprime toujours un regret : celui de ne s'être pas battu pour sauver des enfants juifs de la déportation. C'est pourquoi aujourd'hui, la retraite venue, il ne s'occupe plus tellement de la mémoire de la Résistance mais s'attache à faire apposer des plaques commémoratives sur les murs des écoles de Belleville dont les élèves juifs sont, par centaines, morts en déportation, pour qu'on n'oublie pas leurs noms.

– *Et en Pologne ?*
– Certains se sont battus dans les camps ou dans les ghettos, où il y eut un certain nombre de révoltes. La plus célèbre est l'insurrection du ghetto de Varsovie. Tu te souviens qu'à l'été 1942 les nazis ont vidé le ghetto de l'essentiel de sa population. Après les grandes déportations, le ghetto est comme rétréci. Il y reste environ 40 000 habitants, qui travaillent dans de grands ateliers pour l'armée allemande. L'état d'esprit a changé. Pendant la déportation, chacun était préoccupé de sa propre survie et de celle de ses proches. A l'automne 1942, tout le monde a compris la terrible réalité : la déportation, la « réinstallation à l'Est », c'est la mort. L'idée d'une résistance armée prend forme, et l'organisation juive

de combat, dirigée par un tout jeune homme – il n'a que vingt-quatre ans – Mordechai Anieliewicz, est créée. Son camarade, le seul qui soit aujourd'hui encore en vie, Marek Edelmann, a écrit : « Il mesurait exactement les chances de ce combat inégal. Il prévoyait la destruction du ghetto et des échoppes. Il était certain que ni lui ni ses combattants ne survivraient à la liquidation du ghetto, qu'ils périraient comme des chiens, sans feu ni lieu, et que nul ne connaîtrait même l'emplacement de leur tombe. »

– *Comment ont-ils fait pour se battre ?*
– Il leur fallait des armes. Or la résistance polonaise se méfiait, et elle ne leur fournit des armes qu'au compte-gouttes. Dix revolvers d'abord, puis quarante-neuf. Une soixantaine de revolvers en tout. Le 18 janvier 1943, les Allemands entrent dans le ghetto. Ils ont décidé de déporter 8 000 Juifs. Mais, dans une colonne qui amène vers la gare ceux qui vont être déportés, des coups de feu éclatent. Plusieurs Allemands sont blessés ou tués. D'autres groupes agissent aussi par surprise à d'autres endroits du ghetto. Les Allemands renoncent alors aux rafles. C'est une victoire pour l'organisation juive de combat. Les Allemands savent désormais que les Juifs ne quitteront plus le ghetto de façon volontaire. Aussi, quand ils décident de le « liquider », suivant leur terminologie, ils s'organisent comme pour une bataille militaire. Le 19 avril 1943, à 2 heures du matin, des gendarmes et des policiers encerclent le ghetto. A 5 heures, ils pénètrent par petits groupes sur les terrains vagues qui entourent le ghetto. A 7 heures, ils avancent en deux colonnes serrées et au pas cadencé dans les rues apparemment désertes. La première colonne, qui marche en chantant, est attaquée et bat en retraite. La seconde

tente de prendre position au cœur même du ghetto. C'est alors que les groupes de combat ouvrent le feu ; les Allemands parviennent à se replier. Cette première attaque a fait douze morts et blessés dans leur camp. A 14 heures, il n'y a plus un seul Allemand dans le ghetto. Le lendemain, les combats reprennent. Le général SS qui commande les troupes a changé de tactique : il veut prendre les maisons du ghetto une par une. Mais les combattants, qui connaissent les lieux comme leur poche, tirent des toits et des abris. Trois officiers allemands, arme pointée vers le sol, cocarde blanche à la boutonnière, tentent de négocier un cessez-le-feu pour évacuer leurs deux morts et huit blessés. Imagine ce que cela peut représenter pour les jeunes combattants. Une poignée de civils affamés contre la plus puissante armée du monde !

– *Mais les Allemands vont finir quand même par liquider le ghetto !*
– Oui. Le troisième jour, les Allemands s'infiltrent dans le ghetto par petits groupes et incendient systématiquement les maisons au lance-flammes. Les combats se poursuivent pendant une quinzaine de jours. Le 8 mai, le quartier général de l'organisation juive de combat, installé dans un abri souterrain fortifié, est encerclé. Personne ne veut se rendre. La plupart se suicident, dont leur chef, Mordechai Anieliewicz. Le 16 mai 1943, le général SS fait sauter la grande synagogue de Varsovie et annonce la fin du quartier juif. C'est ainsi qu'ont péri les derniers des 500 000 Juifs qui étaient entassés dans le ghetto.

– *Il n'y a donc plus de ghetto !*
– Pour les nazis, il ne suffisait pas de faire disparaître les Juifs, il fallait aussi effacer jusqu'aux

traces de leur présence. En juillet 1943, ils installent sur l'emplacement du ghetto un petit camp de concentration. Ils y transfèrent environ 3 000 détenus d'Auschwitz qui doivent récupérer les biens que les Juifs ont pu laisser derrière eux, mais surtout déblayer les ruines. Nulle trace du ghetto ne devait subsister. Ce lieu où les Juifs avaient vécu depuis des siècles sera remplacé par un parc.

Du point de vue militaire, l'insurrection du ghetto de Varsovie est anecdotique, si on la compare aux grandes batailles comme celle de Stalingrad par exemple. Mais c'est un beau symbole de résistance, même si la mort était au bout.

— Tu m'as parlé des simples gens qui ont aidé les Juifs. Mais les grandes puissances, elles n'ont rien fait ?

— Aujourd'hui, nous savons que les Alliés, le Britannique Churchill et l'Américain Roosevelt notamment, ont été informés de ce qui se passait, notamment en Pologne. Ils l'ont été par différentes sources. Des courriers de la Résistance polonaise ont apporté des informations à Londres ; le représentant du Congrès juif mondial à Genève, Riegner, a informé exactement de ce qui se passait dans les centres de mise à mort. Pourtant, les Alliés n'ont rien voulu ou rien pu faire pour sauver les Juifs, pour de multiples raisons.

— Lesquelles ?

— Parce que, d'abord, personne ne voulait accueillir ceux qui auraient pu être sauvés ; ensuite, parce qu'ils considéraient que, l'objectif étant de gagner la guerre, rien ne devait les en détourner. Ils pensaient simplement qu'avec la victoire les Juifs seraient libérés comme les autres peuples !

– Ils n'avaient pas raison ?

– Oui et non. Car, en fait, il y avait deux guerres. Une qui opposait des nations entre elles, avec leurs armées respectives, et l'autre, celle que les nazis menaient contre les Juifs à l'intérieur même de la guerre mondiale. Quand Hitler a vu qu'il perdrait la guerre, il s'est quand même réjoui, car l'Europe serait débarrassée de tous ses Juifs. Et ça, les Alliés, malgré les informations qui leur parvenaient, ne voulaient pas le voir. Ni les Soviétiques, ni les Américains, ni les autres. Ce n'était pas leur problème.

– Quand l'ont-ils vraiment compris ?

– Quand les armées alliées sont entrées en Allemagne, elles ont découvert, par hasard, les camps de concentration et l'état de ceux qui avaient survécu : des squelettes aux yeux hagards.

– Par hasard ?

– Oui, par hasard. Alors que l'existence des « vieux camps », ceux établis avant la guerre, était connue, alors que des nouvelles avaient filtré, comme je te l'ai expliqué, tout au long de la guerre, les armées alliées n'avaient pas prévu de libérer en particulier les détenus des camps. Aucune réflexion n'avait été menée sur l'état possible de ceux qui y étaient détenus. Si bien que les internés ont continué de mourir, même après leur libération, parce qu'on ne les a pas nourris de façon appropriée. Pendant un temps très bref, les Américains et les Anglais ont encouragé la presse à rendre compte des horreurs des camps de concentration.

— *Des camps de concentration ? Tu m'as expli-*
qué que le génocide, ce n'était pas le camp de
concentration.

— Tu as raison. La prise de conscience du génocide a été très lente. Le premier moment important a
été le procès d'Adolf Eichmann, qui s'est déroulé à
Jérusalem en 1961. Eichmann avait été le spécialiste
qui s'était chargé de faire émigrer de force les Juifs
d'Autriche, puis de Prague, avant le déclenchement
de la guerre. Pendant la guerre, il avait été le responsable de la déportation. Après la guerre, il avait
réussi à se cacher, puis à émigrer clandestinement en
Argentine. Les services secrets israéliens l'ont
repéré, enlevé et jugé à Jérusalem. Un procès reten-
tissant qui a duré des mois et où plus de cent survivants ont témoigné de toutes les phases du génocide.
On peut dire que c'est le moment de la prise de
conscience universelle de ce qu'avait été Auschwitz.
Mais il avait fallu attendre plus de quinze ans après
les faits. Alors seulement a-t-on compris et mesuré
combien il y avait eu un sort particulier réservé aux
Juifs.

— *Tu dis qu'Eichmann a été jugé. C'est le seul*
coupable ? Tu dis tantôt allemand, tantôt nazi…

— Immédiatement après la victoire, un très grand
procès fut organisé par les quatre grandes puissances
qui avaient gagné la guerre : les États-Unis, le
Royaume-Uni, l'Union soviétique et la France.
C'est le procès de Nuremberg où ont été jugés
une vingtaine de grands criminels, c'est-à-dire des
hommes qui avaient été à la direction de l'État nazi.
En Allemagne, alors occupée par les quatre grandes
puissances victorieuses, il y a eu de très nombreux
procès. A l'époque, on parlait de « dénazification » :

il s'agissait d'éliminer les anciens nazis de tous les postes importants. On évoquait très peu ce qui avait été fait aux Juifs. C'est avec le procès Eichmann qu'on a commencé à parler notamment des crimes perpétrés contre les Juifs à l'Est, en URSS ou en Pologne, et que des procédures judiciaires ont été ouvertes. Dernièrement, une exposition consacrée aux crimes de l'armée allemande a fait un grand scandale en Allemagne. Pendant longtemps, les Allemands ont raisonné ainsi : d'un côté, il y avait les nazis, responsables des assassinats de masse, notamment de ceux des Juifs ; de l'autre, l'armée allemande, dans la grande tradition de l'armée prussienne, qui avait combattu selon les règles de la guerre, une Wehrmacht « pure », « propre », indemne de toute idéologie nazie, semblable à n'importe quelle autre armée. Or l'exposition montre que l'armée ordinaire a aussi participé aux massacres.

– *Alors tous les Allemands de cette époque sont coupables.*

– On se l'est demandé après la guerre et on se le demande toujours aujourd'hui. Aucun peuple n'est collectivement coupable. Les Allemands opposés au nazisme ont été persécutés, internés dans les camps de concentration, contraints à l'exil. L'Allemagne était, comme beaucoup d'autres pays d'Europe, imprégnée d'antisémitisme, même si les antisémites actifs, meurtriers, n'étaient qu'une minorité. On estime aujourd'hui qu'environ 100 000 Allemands ont participé de façon active au génocide. Mais que dire des autres, ceux qui ont vu leurs voisins juifs arrêtés ou ceux qui ont conduit les trains de déportation ? Ce qui frappe surtout, c'est l'extraordinaire indifférence de la grande majorité des Allemands.

– Qu'est-ce que les Juifs avaient donc fait pour qu'on veuille ainsi tous les tuer ?

– Ils n'avaient rien fait ! Souvent, quand une personne est victime, on se pose à tort la question de ce qu'elle a fait ; on sous-entend qu'elle a fait quelque chose de mal. La victime elle-même, alors qu'elle est innocente, bizarrement se sent souvent coupable. C'est le cas par exemple d'une femme victime d'un viol. Certains estiment, à tort, qu'elle est peu ou prou responsable de ce qui lui arrive. Les nazis antisémites ne reprochaient pas vraiment aux Juifs de faire quoi que ce soit de répréhensible, mais simplement d'être ce qu'ils étaient, juifs.

– Pourquoi cet antisémitisme ?

– L'antisémitisme est ancien. Pour certains, il est contemporain du moment même où naît le judaïsme, il y a trois millénaires ! D'autres pensent qu'il prend sa source dans le christianisme. On parle alors plutôt d'antijudaïsme. On reproche aux Juifs essentiellement de ne pas reconnaître que Jésus est le Messie, de refuser cette « bonne nouvelle », de résister à la conversion. Pire, on accuse les Juifs d'être responsables de la mort du Christ. Cette responsabilité est collective – tous les Juifs – et éternelle, puisqu'elle se transmet à toutes les générations de Juifs depuis deux mille ans. C'est au Moyen Age que cet antijudaïsme chrétien s'épanouit et nourrit toutes sortes de mythes. Le Juif devient un personnage démoniaque, qui a partie liée avec le diable. Quand l'Europe est victime d'une épidémie de peste noire, c'est la faute des Juifs qui auraient empoisonné les puits ; on les accuse aussi de meurtres rituels : chaque année, au moment de la Pâque juive, ils assassineraient un enfant chrétien pour mêler son sang à celui du pain azyme que les Juifs mangent pendant toute la période de la Pâque. Pourtant, à cette époque, notamment aux moments des massacres, comme ceux qui furent commis à l'époque des croisades, il est possible à un Juif d'échapper à son destin en se convertissant. Ceux qui refusent de trahir leurs croyances sont alors des martyrs qui sacrifient leur vie, comme on le dit, pour la sanctification du Nom, c'est-à-dire de Dieu.

– *Je ne vois pas le lien avec l'Allemagne nazie. Cet antijudaïsme du Moyen Age aurait duré ?*

– La haine des Juifs qui naît et se développe à la fin du XIXe siècle, même si elle présente des points communs avec l'antijudaïsme chrétien, est nouvelle, comme d'ailleurs le mot qui la désigne, « antisémitisme ». C'est en Allemagne qu'est « inventé » ce mot. Comme je te l'ai expliqué, en Europe occidentale, les Juifs sont désormais émancipés et, individuellement, ils participent à la vie économique et sociale de leur pays. En Allemagne, ils ne sont guère nombreux : environ 500 000, à peine 1 % de la population, mais beaucoup ont fait des études supérieures et sont présents dans des domaines que les Allemands protestants ou catholiques ont délaissés : le journalisme, le théâtre, la médecine, et même la politique. Alors que le pays se modernise à très grande vitesse, certains intellectuels ont peur de cette modernité et pensent qu'il ne peut en résulter qu'un grand mal pour la civilisation. Ils défendent une certaine idée de la Nation allemande, qui ne devrait, selon eux, n'être composée que de Germains. Les Juifs sont alors perçus comme des étrangers qui corrompent et affaiblissent l'Allemagne. Cet antisémitisme prospère après la défaite allemande de 14-18. L'Allemagne traverse alors une période difficile : elle se sent humiliée par le traité de Versailles, elle est en proie au chômage, les prix des denrées de base atteignent, en 1923, des milliards de Marks. La monnaie ne vaut plus rien. De tous ces maux, une grande partie de la droite accuse les Juifs. L'Allemagne serait victime d'un complot juif international. Si cet antisémitisme allemand ne suffit pas à expliquer le génocide des Juifs, si celui de Hitler est différent, puisque, comme je te l'ai expliqué, il prétend sauver la civilisation par l'extermination des Juifs, il en est pourtant un élément important.

– *Mais aujourd'hui, il n'y a plus d'antisémitisme.*

– Il est vrai que l'antisémitisme ne peut plus s'exprimer dans un pays comme le nôtre. La loi d'ailleurs l'interdit, comme en général les manifestations du racisme. Mais il peut prendre des formes sournoises. Une petite poignée de personnes, au mépris de la réalité, nie l'existence des chambres à gaz. On les appelle les négationnistes. D'autres, plus nombreuses, considèrent qu'elles ne sont qu'un « détail » de la Seconde Guerre mondiale. La raison à peine voilée de ces propos est l'antisémitisme. Si Auschwitz n'a pas eu lieu, alors on peut tranquillement être à nouveau antisémite.

– *Tout ce que tu viens de m'expliquer est douloureux à entendre. Dans quelques mois, nous entrons dans l'an 2000. Les Juifs ne sont plus vraiment persécutés, même si l'antisémitisme se manifeste parfois. Pourtant, j'entends souvent parler de « devoir de mémoire ». Faut-il, selon toi, accorder une place particulière à cet épisode de l'Histoire ?*

– Tu as vu en traçant ton arbre généalogique que certains de tes aïeux étaient morts à Auschwitz. Alors que ton grand-père maternel Aby, ou Anna, ta grand-mère paternelle, ont une tombe portant leurs noms au cimetière de Bagneux sur laquelle nous nous rendons le jour anniversaire de leur mort, certains de tes arrière-grands-parents n'ont pas de tombe. « Vous avez une tombe au creux des nuages », a écrit un très grand poète de langue allemande, Paul Celan. Dans notre famille, nous ne devons pas oublier leurs noms. Nous devons conserver leur souvenir, parce que personne ne vient de nulle part. Chacun a une lignée. J'aimerais que tes enfants, plus tard, quand à leur tour ils dessineront leur arbre généalogique, puissent y porter les noms de leurs arrière-arrière-grands-parents, ainsi que le lieu de leur disparition : Auschwitz.

– C'est donc une histoire qui concerne les familles qui ont eu des morts à Auschwitz.

– Non. Ce n'est pas simplement une affaire familiale. Ce n'est pas non plus un événement qui ne concerne que les Juifs. Auschwitz appartient à l'histoire de l'Europe. Si on y réfléchit bien, c'est probablement l'événement le plus européen de toute l'histoire du XXe siècle ! Une histoire encore vivante parmi nous, puisque certains qui ont survécu à Auschwitz sont encore présents, comme Berthe. Pourtant, c'est aussi une histoire qui s'éloigne dans le temps, qui devient de l'histoire. Or, comme dans une lignée, il est important que les hommes connaissent le monde dont ils sont issus.

Pourquoi étudier plus particulièrement cette histoire ? Certains pensent que faire savoir ce qui s'est passé à Auschwitz permettrait que cela ne se reproduise pas, un peu comme ceux qui pensaient que la guerre de 14-18 serait « la der des der », qu'il n'y aurait « plus jamais ça », qu'il suffirait de montrer les souffrances occasionnées, de bouleverser les jeunes pour les vacciner contre l'idée de commettre de telles horreurs. Pour ma part, je reste sceptique devant de telles proclamations. Je ne crois pas qu'un récit historique fondé sur la seule émotion puisse avoir des effets durables. Je continue cependant à croire à la raison, à la valeur de l'intelligence, même si Auschwitz reste largement inexplicable.

Or l'étude du génocide des Juifs, par sa dimension inouïe, inspire une réflexion inépuisable qui touche à tous les aspects de la vie et de l'histoire des hommes. C'est pourquoi il est évoqué constamment. Dans la vie internationale, par exemple. On a beaucoup réfléchi depuis la Seconde Guerre mondiale aux moyens d'empêcher des crimes comme ceux commis contre les Juifs, ce qui a fait évoluer le droit. Aujourd'hui, on tente de mettre sur pied une Cour de justice internationale permanente pour juger ceux qui commettent des crimes contre l'humanité. Alors que jusque après la Seconde Guerre mondiale, tous les États étaient d'accord pour dire que chacun faisait ce qu'il voulait chez soi, qu'ouvrir des camps de concentration ou massacrer une minorité nationale, ou l'expulser hors de ses frontières, relevaient du droit intérieur de l'État, des voix de plus en plus nombreuses demandent la possibilité de s'ingérer dans les affaires intérieures d'un État. Le souvenir de l'inaction et de l'indifférence des grandes puissances vis-à-vis du sort des Juifs pèse lourd dans la réflexion sur ces questions.

L'étude du génocide permet aussi de réfléchir sur le fonctionnement de l'État moderne. La déportation des Juifs et leur mise à mort dans les chambres à gaz n'auraient pas été possibles sans de nombreuses complicités. Il a fallu que des fonctionnaires travaillent à la confection de multiples fichiers, que diverses forces de l'ordre arrêtent les Juifs, que d'autres fonctionnaires organisent les camps et les fassent garder, que des hommes conduisent les autobus jusqu'aux gares, d'autres les trains jusqu'aux centres de mise à mort, prévoient leurs horaires… Aucun de ces hommes n'a une vision claire de la façon dont son travail s'insère dans la chaîne qui permet au bout du compte de tuer des gens par millions. Il n'a apparemment rien fait de mal, il a fait simplement et consciencieusement son travail. Bien sûr, cette analyse ne s'applique pas à des gens comme Himmler ou encore Eichmann : eux savaient exactement ce qu'ils faisaient. Bien sûr aussi, s'il n'y avait eu l'écran de la guerre, rien n'aurait été possible. Mais beaucoup n'ont pas su, pas pu ou pas voulu résister à un processus qu'ils n'avaient pas forcément souhaité. Lors du procès de Maurice Papon, le secrétaire général de la préfecture de Gironde qui a apposé sa signature sur des papiers organisant la déportation de Juifs de Bordeaux, on a parlé de « crime de bureau ». Une simple signature d'un fonctionnaire qui obéit à son supérieur hiérarchique est susceptible, en certaines circonstances, d'envoyer des gens à la mort. Et puis, toute cette indifférence que l'on rencontre si souvent : l'indifférence des voisins comme celle des grandes puissances.

Ce sont toutes ces questions qui me hantent en permanence, que j'espère éclaircir en faisant de l'histoire et en l'enseignant et qui méritent, je crois, que chacun y réfléchisse.

RÉALISATION : PAO ÉDITIONS DU SEUIL
IMPRESSION : NORMANDIE-ROTO IMPRESSION À LONRAI
DÉPÔT LÉGAL : SEPTEMBRE 1999. N°36699 (99-1540)